soupes

MARABOUT

table des recettes

Soupe aux légumes d'hiver

Préparation 30 minutes
Pour 4 personnes.

1 c. s. d'huile d'olive
2 oignons bruns moyens
grossièrement hachés
3 branches de céleri
grossièrement haché
1 gousse d'ail pilée
1 c. c. de paprika doux
3 pommes de terre
coupées en cubes
2 gros panais coupés en cubes
2 carottes coupées en rondelles
375 ml de bouillon de volaille
1,25 l d'eau
100 g de semoule de blé fine
2 c. s. de persil grossièrement ciselé

1 Faites chauffer l'huile dans une grande casserole et faites revenir le céleri, l'ail, le paprika et les oignons en remuant jusqu'à ce que ces derniers commencent à fondre.

2 Ajoutez les pommes de terre, les panais, les carottes, le bouillon et l'eau et portez à ébullition. Baissez le feu et laissez cuire les légumes 15 minutes à couvert.

3 Incorporez la semoule et le persil. Laissez cuire 2 minutes à découvert jusqu'à ce que la semoule soit tendre.

Par portion lipides 5,6 g ; 311 kcal

ASTUCE Ajoutez la semoule à la soupe juste avant de servir pour qu'elle n'absorbe pas tout le liquide.

Soupe de courgettes et de poulet au curry

Préparation 35 minutes
Pour 4 personnes.

1 c. s. d'huile d'arachide
1 oignon brun finement haché
1 gousse d'ail pilée
1 c. c. de curry en poudre
100 g de riz blanc
340 g de blanc de poulet
finement émincé
500 ml d'eau
1 l de bouillon de volaille
4 courgettes moyennes
grossièrement râpées

1 Faites chauffer l'huile dans une grande casserole et faites revenir l'oignon et l'ail. Quand l'oignon fond, versez le curry et poursuivez la cuisson, en remuant, jusqu'à ce que le mélange libère tous ses arômes.

2 Ajoutez le riz et le poulet et laissez cuire 2 minutes, en remuant. Versez l'eau et le bouillon et portez à ébullition. Baissez le feu et laissez mijoter 10 minutes à couvert. Ajoutez les courgettes et poursuivez la cuisson 5 minutes tout en remuant jusqu'à ce que le poulet soit cuit.

Par portion lipides 10,8 g ; 292 kcal

Velouté de potiron

Préparation 35 minutes
Pour 6 personnes.

40 g de beurre
1 gros oignon brun
grossièrement haché
3 tranches de bacon
grossièrement hachées
1,5 kg de potiron
grossièrement haché
2 grosses pommes de terre
coupées en morceaux
1,5 l de bouillon de volaille

1 Faites fondre le beurre dans une grande casserole et faites revenir l'oignon et le bacon, en remuant. Quand l'oignon fond, ajoutez le potiron et les pommes de terre.

2 Versez le bouillon sur les légumes, portez à ébullition puis laissez cuire le potiron 20 minutes, à découvert.

3 Passez la soupe au mixeur, en procédant en plusieurs fois si nécessaire, et faites-la réchauffer dans une casserole.

Par portion lipides 8,3 g ; 241 kcal

Soupe de potiron à la thaïlandaise

Préparation 15 minutes
Pour 4 personnes.

75 g de pâte de curry rouge
840 g de crème de potiron
800 ml de lait de coco écrémé
375 ml de bouillon de volaille
500 g de poulet rôti
grossièrement émincé
4 oignons verts finement émincés
3 branches de basilic
grossièrement ciselé

1 Dans une grande casserole, faites fondre la pâte de curry en remuant. Ajoutez la crème de potiron, le lait de coco et le bouillon et portez le tout à ébullition.

2 Ajoutez les morceaux de poulet puis baissez le feu et laissez frémir tout en remuant jusqu'à ce que le poulet soit bien chaud. Incorporez les oignons et le basilic juste avant de servir.

Par portion lipides 31,8 g; 522 kcal

ASTUCE Modifiez les proportions de pâte de curry, selon votre goût.

Soupe de moules à la crème

Préparation 35 minutes
Pour 4 personnes.

1 kg de moules
250 ml de vin blanc sec
60 g de beurre
8 oignons verts finement hachés
1/2 c. c. de curry en poudre
35 g de farine
250 ml de bouillon de légumes
500 ml d'eau
1 c. s. de concentré de tomates
180 ml de crème fraîche
1 c. s. d'aneth finement ciselé

1 Brossez les moules sous l'eau froide et supprimez les barbes.

2 Versez les moules et le vin dans une grande casserole, couvrez et portez à ébullition. Laissez frémir 5 minutes, jusqu'à ce que les moules s'ouvrent. Jetez celles qui sont restées fermées. Égouttez-les au-dessus d'un saladier pour récupérer le bouillon.

3 Faites fondre le beurre dans une grande casserole et faites revenir les oignons et le curry. Quand les oignons sont dorés, ajoutez la farine et poursuivez la cuisson 2 minutes, en remuant, jusqu'à ce que le mélange épaississe et bouillonne. Incorporez petit à petit le bouillon réservé, le bouillon de légumes, l'eau et le concentré de tomates. Continuez de remuer jusqu'à ce que le liquide épaississe et commence à bouillir.

4 Ajoutez les moules avec la crème fraîche et l'aneth et laissez frémir, en remuant, jusqu'à ce que le tout soit bien chaud.

Par portion lipides 33,6 g ; 552 kcal

ASTUCE Afin d'éviter les grumeaux, lorsque vous incorporez le bouillon des moules aux oignons, retirez la casserole du feu.

Soupe de poulet, de maïs et de tomates au piment

Préparation 30 minutes
Pour 6 personnes.

2 c. s. d'huile d'olive
340 g de blancs de poulet
1 oignon rouge moyen
finement haché
1 c. s. de farine
1,5 l de bouillon de volaille
500 ml de jus de tomate
420 g de maïs en boîte égoutté
2 piments thaïs rouges frais
épépinés et finement hachés
3 branches de coriandre fraîche

1 Faites chauffer 1 cuillerée à soupe d'huile dans une grande casserole et faites revenir le poulet. Laissez-le tiédir puis détaillez-le en fines lamelles et réservez-le.

2 Dans la même casserole, faites chauffer 1 cuillerée à soupe d'huile pour dorer l'oignon. Ajoutez ensuite la farine et poursuivez la cuisson, en remuant, jusqu'à ce que le mélange épaississe et bouillonne. Incorporez petit à petit le bouillon et le jus de tomate et portez à ébullition jusqu'à ce que la soupe épaississe.

3 Ajoutez le poulet, le maïs et le piment, et laissez cuire en remuant jusqu'à ce que la soupe soit bien chaude. Parsemez de coriandre juste avant de servir.

Par portion lipides 8,5 g ; 252 kcal

Soupe de vermicelles de soja

Préparation 30 minutes
Pour 4 personnes.

100 g de vermicelles de soja
1 piment thaï rouge frais
épépiné et finement émincé
2 gousses d'ail pilées
2 c. s. de citronnelle finement émincée
10 g de gingembre frais râpé
625 ml de bouillon de volaille
875 ml d'eau
340 g de blanc de poulet finement émincé
2 c. s. de menthe finement ciselée
2 c. c. de nuoc-mâm
2 c. s. de sauce de soja claire
3 branches de coriandre fraîche

1 Dans un saladier, recouvrez les vermicelles d'eau bouillante. Laissez-les tremper jusqu'à ce qu'elles soient tendres, puis égouttez-les.

2 Faites revenir la citronnelle, le piment, l'ail, et le gingembre dans une grande casserole antiadhésive tout en remuant. Incorporez ensuite le bouillon et l'eau puis portez à ébullition.

3 Ajoutez le poulet, et portez à nouveau à ébullition puis baissez le feu et laissez cuire le poulet 5 minutes à découvert en écumant régulièrement.

4 Ajoutez les vermicelles, la menthe, le nuoc-mâm et la sauce de soja à la soupe et laissez chauffer en remuant. Agrémentez de feuilles de coriandre juste avant de servir.

Par portion lipides 5,4 g; 207 kcal

ASTUCE Vous pouvez essayer les vermicelles de riz pour réaliser cette recette. Préparez-le suivant les instructions du paquet.

Soupe aigre-douce

Préparation 35 minutes
Pour 4 personnes.

1,25 l de bouillon de volaille
750 ml d'eau
1 gousse d'ail pilée
10 g de gingembre finement émincé
1 c. s. de sambal oelek
2 c. s. de sauce de soja claire
100 g de filet de porc finement émincé
100 g de blanc de poulet
finement émincé
8 champignons Shiitake frais
finement émincés
100 g de pousses de bambou en boîte
égouttées
2 c. s. de saké
80 ml de jus de citron vert
1 c. c. de poivre noir concassé
2 c. s. de farine de maïs
3 œufs légèrement battus
300 g de tofu de soie japonais
grossièrement haché
4 oignons verts finement émincés

1 Portez le bouillon et l'eau à ébullition dans une grande casserole. Incorporez l'ail, le gingembre, le sambal oelek et la sauce de soja et laissez frémir à découvert pendant 3 minutes.

2 Ajoutez le porc, le poulet, les pousses de bambou, les champignons, le saké, le jus de citron vert et le poivre. Portez à ébullition puis baissez le feu et laissez frémir 5 minutes à découvert.

3 Délayez la farine de maïs dans 2 cuillerées à soupe d'eau et versez ce mélange dans le bouillon. Laissez cuire en remuant jusqu'à ce que la soupe épaississe. Versez l'œuf battu en un mince filet sans cesser de remuer.

4 Répartissez le tofu et les oignons dans les bols et versez la soupe chaude dessus.

Par portion lipides 19,6 g; 357 kcal

ASTUCE Vous pouvez remplacer le sambal oelek par des piments rouges frais.
Si vous ne disposez pas de champignons Shiitake frais, optez pour des champignons de Paris ou des champignons Shiitake séchés réhydratés.

Soupe de poulet au maïs

Préparation 30 minutes
Pour 4 personnes.

2 c. c. d'huile d'arachide
2 oignons verts, finement émincés
1 gousse d'ail pilée
1 l de bouillon de volaille
1 l d'eau
170 g de blanc de poulet
finement haché
310 g de maïs à la crème
310 g de maïs au naturel en boîte
1 c. s. de farine de maïs
1 œuf légèrement battu

1 Faites chauffer l'huile dans une grande casserole et faites revenir l'ail et les oignons sans cesser de remuer.

2 Versez le bouillon et l'eau sur les oignons et portez à ébullition. Baissez le feu, ajoutez le poulet et faites-le cuire 5 minutes à découvert.

3 Ajoutez ensuite le maïs au naturel, le maïs à la crème et la farine de maïs délayée dans une louche d'eau. Laissez cuire en remuant jusqu'à ce que le tout bouillonne et commence à épaissir. Incorporez petit à petit l'œuf battu dans la soupe frémissante.

Par portion lipides 8,1 g; 272 kcal

Soupe de nouilles

Préparation 30 minutes
Pour 4 personnes.

2 l de bouillon de volaille
1 c. s. de sauce de soja claire
500 g de blanc de poulet
finement émincé
125 g de nouilles de blé fraîches fines
100 g de crevettes roses cuites
décortiquées
200 g de porc chinois au barbecue
finement émincé
100 g de germes de soja
4 oignons verts finement émincés

1 Dans une grande casserole, portez à ébullition le bouillon avec la sauce de soja, à couvert.

2 Ajoutez le poulet, les nouilles et laissez frémir 10 minutes, toujours à couvert. Ajoutez les crevettes, le porc, les germes de soja, les oignons et poursuivez la cuisson à découvert jusqu'à ce que le tout soit bien chaud.

3 Répartissez les nouilles dans les bols de service et versez la soupe chaude dessus.

Par portion lipides 12,9 g; 378 kcal

Potage au maïs et au bacon

Préparation 35 minutes
Pour 4 personnes.

40 g de beurre
1 oignon brun moyen
finement haché
1 gousse d'ail pilée
2 tranches de bacon
grossièrement hachées
35 g de farine
2 pommes de terre moyennes
coupées en cubes
500 ml de bouillon de volaille
1 l de lait
320 g de maïs en boîte
125 ml de crème fraîche
2 c. s. de ciboulette finement ciselée

1 Dans une grande casserole, faites fondre le beurre puis faites revenir l'oignon, l'ail et le bacon.

2 Quand l'oignon est bien doré, saupoudrez-le de farine et laissez cuire 1 minute en remuant. Incorporez le bouillon, la moitié du lait, les pommes de terre et laissez frémir 15 minutes à couvert.

3 Ajoutez le maïs, le lait restant et la crème sans cesser de remuer. Parsemez la soupe de ciboulette au moment de servir.

Par portion lipides 34 g ; 575 kcal

Nage de crevettes aux raviolis chinois

Préparation 40 minutes
Pour 4 personnes.

150 g de viande de poulet hachée
1 oignon vert finement émincé
2 c. s. de sauce de soja claire
16 feuilles de pâte à raviolis chinois
ou wontons
24 crevettes roses moyennes crues
1,5 l de bouillon de volaille
100 g de porc chinois au barbecue
finement émincé
100 g de champignons Shiitake frais
finement émincés
150 g de mini bok choy
grossièrement haché
4 oignons verts finement émincés
(supplémentaires)

1 Mélangez le poulet, l'oignon, et la moitié de la sauce de soja dans un petit saladier. Déposez quelques cuillerées à café de ce mélange au centre de chaque ravioli. Enduisez les bords des raviolis à l'eau et pincez-les pour bien les fermer.

2 Décortiquez les crevettes et enlevez la veine centrale, en gardant les queues intactes.

3 Dans une grande casserole, portez le bouillon à ébullition, déposez-y les raviolis et laissez-les cuire 3 minutes à découvert. Ajoutez les crevettes, la sauce de soja restant, le porc et les champignons et laissez cuire, toujours à découvert.

4 Quand les crevettes virent au rose, incorporez le bok choy et les oignons supplémentaires et poursuivez la cuisson à découvert jusqu'à ce que le bok choy commence à flétrir.

Par portion lipides 9,1 g ; 276 kcal

ASTUCE Vous pouvez conserver les wontons non cuits jusqu'à trois mois au congélateur. Vous n'aurez pas besoin de les décongeler avant l'utilisation. Plongez-les directement dans le bouillon.

Laksa de crevettes

Préparation 35 minutes
Pour 6 personnes.

1 kg de crevettes roses moyennes
crues
1 c. s. d'huile d'arachide
200 g de pâte de laksa
2 gousses d'ail pilées
1 c. c. de curcuma moulu
800 ml de lait de coco
1 l de fumet de poisson
2 feuilles de kaffir finement ciselées
250 g de nouilles aux œufs
4 oignons verts finement émincés
80 g de germes de soja
3 branches de coriandre fraîche
1 c. s. de jus de citron vert
2 c. c. de nuoc-mâm

1 Décortiquez les crevettes et enlevez la veine centrale en gardant les queues intactes.

2 Faites chauffer l'huile dans une grande casserole et laissez cuire la pâte de laksa, l'ail et le curcuma tout en remuant. Ajoutez le lait de coco, le fumet de poisson et les feuilles de kaffir et portez à ébullition. Ajoutez les nouilles, les crevettes et laissez frémir à découvert. Quand les crevettes sont cuites, incorporez les oignons, les germes de soja, la coriandre, le jus de citron vert, le nuoc-mâm et poursuivez la cuisson, toujours en remuant, jusqu'à ce que le tout soit bien chaud.

Par portion lipides 42, 8 g ; 684 kcal

ASTUCE On peut remplacer les feuilles de kaffir par 2 cuillerées à café de zeste de citron vert râpé.

Tom yum goong

Voici la soupe thaïlandaise la plus appréciée des Occidentaux. Aigre et acidulée, tom yum goong se transformera facilement en plat principal si vous y ajoutez des crevettes.

Préparation 30 minutes
Pour 4 personnes.

1,5 l de fumet de poisson
1 c. s. de citronnelle fraîche hachée
4 feuilles de kaffir déchiquetées
40 g de gingembre frais
pelé et finement émincé
4 piments thaïs rouges frais
épépinés et finement émincés
1 c. s. de nuoc-mâm
400 g de crevettes roses moyennes
crues
8 oignons verts
80 ml de jus de citron vert frais
1 c. c. de sambal oelek
4 branches de basilic thaï frais
4 branches de coriandre fraîche

1 Faites chauffer le fumet de poisson dans une grande casserole à découvert. Ajoutez la citronnelle, les feuilles de kaffir, le gingembre, le piment et le nuoc-mâm. Portez à ébullition puis laissez frémir 10 minutes à découvert.

2 Pendant ce temps, décortiquez les crevettes et enlevez la veine dorsale, en gardant les têtes et les queues intactes. Découpez les oignons en tiges de 2 cm.

3 Dans le bouillon, ajoutez les crevettes, les oignons, le jus de citron vert et le sambal oelek. Laissez cuire 5 minutes à découvert. Quand les crevettes sont cuites, parsemez-les de basilic et de coriandre. Servez immédiatement.

Par portion lipides 0,9 g ; 139 kcal

Soupe de nouilles au bœuf

Préparation 35 minutes
Pour 4 personnes.

L'anis étoilé sert à rehausser la saveur des soupes, des ragoûts et des infusions en Asie. Vous pouvez l'utiliser soit entier, soit en morceaux. Il est facile à trouver dans les épiceries asiatiques.

600 g de nouilles de riz fraîches
1 l de bouillon de bœuf
500 ml d'eau
1 oignon brun moyen
grossièrement haché
2 anis étoilés
25 g de gingembre frais
grossièrement râpé
1/2 c. c. de poivre noir en grains
1 c. c. de cardamome
650 g de rumsteak finement émincé
120 g de germes de soja
2 c. s. de menthe finement ciselée
2 c. s. de coriandre finement ciselée
2 piments thaïs rouges finement émincés
3 oignons verts finement émincés

1 Rincez les nouilles sous l'eau chaude puis égouttez-les. Transférez-les dans un grand saladier et séparez-les à l'aide d'une fourchette.

2 Mettez le bouillon, l'eau, l'oignon brun, l'anis étoilé, le gingembre, le poivre noir et la cardamome dans une grande casserole et portez le tout à ébullition. Baissez le feu, puis laissez mijoter 10 minutes à découvert. Tapissez la passoire d'une mousseline et passez ce bouillon aromatisé dans une grande casserole. Jetez les résidus solides.

3 Ajoutez le bœuf au bouillon et portez à ébullition. Baissez le feu et laissez cuire à découvert. Répartissez ensuite les nouilles dans des assiettes creuses, versez le bœuf et le bouillon aromatisé, et garnissez des germes de soja, de la coriandre et de la menthe, du piment et des oignons verts.

Par portion lipides 9,2 g ; 525 kcal

ASTUCE Préparez le bouillon aromatisé la veille et conservez-le dans un récipient hermétique au réfrigérateur.

SUGGESTION Pour donner du piquant à cette soupe, vous pouvez la servir avec de quartiers de citron jaune ou vert.

Velouté de kumaras à la coriandre

Préparation 35 minutes
Pour 4 personnes.

1 c. c. d'huile d'arachide
2 poireaux grossièrement hachés
3 gousses d'ail coupées en quatre
2 kumaras grossièrement hachées
1 l de bouillon de volaille
160 ml de lait écrémé en poudre
2 branches de coriandre
finement ciselées

1 Faites chauffer l'huile dans une grande casserole et faites revenir l'ail et les poireaux tout en remuant. Quand ces derniers commencent à fondre, ajoutez les kumaras et le bouillon. Portez le tout à ébullition puis baissez le feu et laissez cuire les pommes de terre 15 minutes à couvert.

2 Passez la soupe au mixeur en procédant en plusieurs tournées jusqu'à obtenir une texture onctueuse.

3 Remettez la soupe sur le feu et laissez-la mijoter à découvert. Dès qu'elle commence à épaissir, incorporez le lait en poudre et la coriandre. Laissez cuire en remuant sans porter à ébullition. Agrémentez de feuilles de coriandre fraîche.

Par portion lipides 2,9 g ; 210 kcal

Velouté de courgettes

Préparation 35 minutes
Pour 4 personnes.

30 g de beurre
1 gros oignon brun
finement haché
2 gousses d'ail pilées
2 c. s. de farine
8 grosses courgettes
grossièrement hachées
375 ml de bouillon de volaille
250 ml d'eau
125 ml de crème fraîche
2 branches de cerfeuil

1 Faites chauffer le beurre dans une grande casserole et laissez fondre l'ail et l'oignon tout en remuant. Ajoutez la farine et les courgettes et laissez cuire 2 minutes, sans cesser de remuer.

2 Incorporez le bouillon et l'eau, portez le tout à ébullition puis laissez frémir 15 minutes, à découvert.

3 Passez cette soupe au mixeur en procédant en plusieurs fois jusqu'à obtention d'une texture onctueuse.

4 Juste avant de servir, ajoutez la crème fraîche et réchauffer le tout à feu moyen.

5 Agrémentez la soupe de quelques feuilles de cerfeuil avant de servir.

Par portion lipides 19 g ; 240 kcal

Soupe de petits pois et de pommes de terre

Préparation 30 minutes
Pour 4 personnes.

30 g de beurre
1 petit poireau finement émincé
2 branches de céleri
grossièrement hachées
3 grosses pommes de terre
coupées en cubes
750 ml de bouillon de volaille
500 ml d'eau
250 g de petits pois congelés
80 ml de crème fraîche
1 c. s. de thym frais

1 Faites fondre le beurre dans une grande casserole et faites cuire le poireau et le céleri tout en remuant jusqu'à ce qu'ils soient tendres.

2 Ajoutez les pommes de terre, l'eau et le bouillon, couvrez et portez à ébullition. Baissez le feu et laissez frémir 15 minutes en remuant de temps en temps.

3 Quand les pommes de terre sont cuites, ajoutez les petits pois et poursuivez la cuisson 5 minutes.

4 Passez la soupe au mixeur en procédant en plusieurs fois jusqu'à obtention d'une texture onctueuse. Remettez la soupe sur le feu. Incorporez la crème et le thym et remuez jusqu'à ce que le tout soit bien chaud.

Par portion lipides 16,3 g ; 353 kcal

Soupe de lentilles et d'épinards

Préparation 35 minutes
Pour 8 personnes.

2 c. s. d'huile d'arachide
2 gros oignons bruns
finement hachés
2 gousses d'ail pilées
2 c. c. de cumin moulu
1 c. c. de curcuma moulu
1 c. c. de coriandre moulue
600 g de lentilles corail
1,25 l de bouillon de volaille
1 l d'eau
500 g d'épinards frais finement hachés

1 Faites chauffer l'huile dans une casserole et laissez fondre l'ail et les oignons tout en remuant. Ajoutez les épices moulues et continuez de remuer jusqu'à ce qu'elles libèrent leurs arômes.

2 Mélangez les lentilles à la préparation aux épices, arrosez du bouillon et de l'eau et portez le tout à ébullition. Laissez cuire les lentilles 20 minutes à découvert.

3 Passez la soupe au mixeur jusqu'à obtention d'une texture onctueuse. Transvasez-la dans une casserole propre, ajoutez les épinards et remuez jusqu'à ce que le tout soit bien chaud.

Par portion lipides 6,9 g; 268 kcal

Soupe de cresson au citron

Il vous faudra une botte de cresson d'environ 850 g pour cette recette.

Préparation 30 minutes
Pour 6 personnes.

40 g de beurre
1 oignon brun moyen
grossièrement haché
2 gousses d'ail coupées en quatre
35 g de farine
2 l de bouillon de volaille
400 g de cresson équeuté et lavé
60 ml de jus de citron
60 g de crème fraîche

1 Faites chauffer le beurre dans une grande casserole et laissez fondre l'ail et l'oignon tout en remuant.

2 Ajoutez la farine tout en remuant et poursuivez la cuisson jusqu'à ce que le mélange bouillonne et commence à épaissir. Incorporez le bouillon petit à petit. Portez à ébullition, puis ajoutez le cresson et le jus de citron. Laissez frémir 2 minutes à découvert.

3 Passez la soupe au mixeur en procédant en plusieurs fois jusqu'à obtention d'une texture onctueuse. Remettez la soupe sur le feu, ajoutez la crème fraîche et remuez jusqu'à ce que le tout soit bien chaud.

Par portion lipides 10,3 g ; 200 kcal

Laksa lemak

Cette recette à base de légumes variés pourra être enrichie d'autres ingrédients comme des crevettes ou du poulet. Nous avons utilisé ici des nouilles de riz séchées rondes.

Préparation 20 minutes
Pour 4 personnes.

1 l de bouillon de volaille
250 ml d'eau
80 ml de sauce chili à l'ail
80 ml de nuoc-mâm
60 ml de sauce d'huître
1 c. s. de curry en poudre
400 ml de crème de coco en boîte
250 g de nouilles de riz séchées
300 g de mini bok choy
100 g de pois gourmands coupés en deux
200 g de mini maïs coupés en deux
150 g de tofu frit coupé en dés
240 g de germes de soja

1 Versez le bouillon, l'eau, la sauce chili à l'ail, le nuoc-mâm, la sauce d'huître, le curry et la crème de coco dans une grande casserole et portez le tout à ébullition. Baissez le feu et laissez frémir 10 minutes à découvert.

2 Pendant ce temps, dans un saladier, couvrez les nouilles d'eau bouillante. Laissez-les ramollir puis égouttez-les.

3 Ajoutez le bok choy, les pois gourmands, le maïs et le tofu au bouillon aromatisé et laissez cuire à découvert jusqu'à ce que les légumes soient juste tendres.

4 Répartissez les nouilles dans les bols, arrosez-les du bouillon et garnissez de germes de soja.

Par portion lipides 25,8 g ; 582 kcal

ASTUCE Vous trouverez du tofu frit dans les épiceries asiatiques, mais vous pouvez aussi acheter du tofu frais en cubes et le faire frire à l'huile végétale jusqu'à ce qu'il soit légèrement doré.

Soupe de tortilla au citron vert

Préparation 30 minutes
Pour 4 personnes.

1 oignon blanc grossièrement haché
2 gousses d'ail coupées en quatre
1 piment thaï rouge frais
grossièrement haché
4 tomates moyennes
pelées et coupées en quartiers
1 c. s. d'huile d'arachide
1/4 c. c. de piment de la Jamaïque
375 ml de bouillon de volaille
1,25 l d'eau
2 c. c. de zeste de citron vert râpé
60 ml de jus de citron vert
70 g de concentré de tomates
80 ml d'huile d'arachide (en supplément)
6 tortillas de maïs coupées en lanières
de 2 cm de large
1 avocat haché
2 oignons verts finement hachés
2 branches de coriandre
grossièrement ciselées

1 Mixez l'oignon blanc, l'ail, le piment et les tomates jusqu'à l'obtention d'un coulis.

2 Faites chauffer 1 cuillerée d'huile d'arachide dans une grande casserole et laissez cuire le coulis de tomate avec le piment de la Jamaïque jusqu'à ce que les ingrédients libèrent leurs arômes.

3 Ajoutez le bouillon, l'eau, le zeste et le jus de citron vert et le concentré de tomates et portez le tout à ébullition. Baissez le feu et laissez frémir 15 minutes à découvert jusqu'à ce que le mélange épaississe légèrement.

4 Pendant ce temps, faites chauffer les 80 ml d'huile d'arachide dans une poêle et laissez frire les lanières de tortillas, en procédant en plusieurs tournées. Une fois dorées, égouttez-les sur du papier absorbant.

5 Répartissez les lanières de tortillas dans les bols, versez la soupe et agrémentez du mélange d'avocat, d'oignon vert et de coriandre.

Par portion lipides 26 g ; 425 kcal

ASTUCE On peut faire frire les lanières de tortillas la veille et les conserver dans un récipient hermétique. Pour limiter l'apport en graisse, faites-les griller 5 minutes à four chaud.

Consommé de champignons d'Asie

Préparation 20 minutes
Pour 4 personnes.

huile pour la poêle
4 oignons verts finement hachés
1 branche de céleri finement hachée
1,5 l de bouillon de volaille
375 ml d'eau
60 ml de sauce de soja claire
100 g de champignons Shiitake
finement émincés
100 g de champignons Enoki
150 g de pleurotes finement émincés
150 g de champignons de Paris,
finement émincés
1/2 c. c. de mélange cinq-épices
2 c. s. de ciboule chinoise
finement ciselée

1 Dans une poêle préchauffée et légèrement huilée, faites revenir les oignons et le céleri jusqu'à ce qu'ils commencent à fondre.

2 Ajoutez le bouillon, l'eau, la sauce de soja et portez à ébullition. Versez tous les champignons, les cinq-épices et portez de nouveau à ébullition. Baissez le feu et laissez frémir 2 minutes jusqu'à ce que les champignons soient bien tendres.

3 Agrémentez de ciboule chinoise juste avant de servir.

Par portion lipides 2,7 g ; 89 kcal

Soupe de curry

Préparation 30 minutes
Pour 4 personnes.

20 g de beurre
1 gros oignon brun finement haché
4 gousses d'ail pilées
10 g de gingembre frais râpé
2 petits piments verts
épépinés et finement hachés
1/4 c. c. de cannelle moulue
2 c. c. de coriandre moulue
1 1/2 c. c. de curcuma moulu
1/4 c. c. de poivre noir concassé
5 feuilles de curry séchées
1 carotte grossièrement hachée
1 pomme pelée grossièrement hachée
1 pomme de terre grossièrement hachée
200 g de lentilles corail
rincées et égouttées
1 l de bouillon de volaille
1 c. s. de jus de citron
400 ml de lait de coco en boîte
2 branches de coriandre fraîche

1 Faites fondre le beurre dans une grande casserole et faites dorer l'oignon. Ajoutez l'ail, le gingembre, le piment, la cannelle, la coriandre, le curcuma, le poivre noir et les feuilles de curry et laissez cuire en remuant jusqu'à ce que ces ingrédients libèrent leurs arômes.

2 Ajoutez la carotte, la pomme, la pomme de terre, les lentilles et le bouillon dans la casserole et laissez frémir 15 minutes, à couvert, jusqu'à ce que les légumes soient juste tendres. Retirez les feuilles de curry de la soupe.

3 Passez la soupe au mixeur jusqu'à obtenir une texture onctueuse. Remettez-la sur le feu. Incorporez le jus de citron et le lait de coco et poursuivez la cuisson tout en remuant jusqu'à ce que le tout soit bien chaud. Allongez la soupe avec un peu d'eau si nécessaire. Agrémentez de quelques feuilles de coriandre.

Par portion lipides 27 g ; 472 kcal

Soupe de légumes de printemps

Préparation 30 minutes
Pour 4 personnes.

1 c. s. d'huile d'olive
1 petit oignon brun
finement haché
1 gousse d'ail pilée
350 g de jeunes carottes
en fines rondelles
750 ml de bouillon de volaille
500 ml d'eau
55 g de risoni
ou d'autres petites pâtes à potage
200 g d'asperges fraîches
coupées en rondelles
125 g de petits pois congelés
25 g de parmesan râpé
1 c. s. de ciboulette finement ciselée

1 Faites chauffer l'huile dans une grande casserole et laissez fondre l'ail et l'oignon, en remuant. Ajoutez la carotte, poursuivez la cuisson 2 minutes sans cesser de remuer.

2 Versez le bouillon, l'eau et portez à ébullition. Incorporez les pâtes et laissez frémir 8 minutes à découvert. Quand les pâtes sont cuites, ramenez le liquide à ébullition puis ajoutez les asperges et les petits pois. Poursuivez la cuisson à découvert, le temps que les légumes soient bien tendres.

3 Servez cette soupe agrémentée de parmesan et de ciboulette.

Par portion lipides 7,7 g ; 157 kcal

Soupe de haricots, tomates et poivrons

Préparation 30 minutes
Pour 6 personnes.

1 c. s. d'huile d'olive
2 oignons bruns
grossièrement hachés
1 gros poivron rouge
grossièrement haché
1 piment rouge frais finement haché
810 g de tomates concassées en boîte
1 l de bouillon de volaille
600 g de haricots blancs en boîte
rincés et égouttés

1 Faites chauffer l'huile dans une grande casserole. Ajoutez les oignons, le poivron et le piment et laissez cuire, tout en remuant. Quand ils sont tendres, ajoutez les tomates et leur jus puis le bouillon. Portez le tout à ébullition. Baissez le feu et laissez frémir 15 minutes à couvert jusqu'à ce que la soupe épaississe légèrement.

2 Passez la soupe au mixeur jusqu'à obtenir une texture onctueuse. Remettez-la sur le feu. Incorporez les haricots et poursuivez la cuisson en remuant jusqu'à ce qu'ils soient bien chauds.

3 Servez la soupe accompagnée de pain à l'ail, par exemple.

Par portion lipides 6,5 g; 167 kcal

ASTUCE On peut remplacer les haricots blancs par des haricots rouges, des pois chiches ou de petites pâtes.

Minestrone

Préparation 30 minutes
Pour 4 personnes.

2 c. c. d'huile d'olive
1 petit oignon brun
grossièrement haché
2 gousses d'ail pilées
2 branches de céleri
grossièrement haché
1 jeune carotte
grossièrement hachée
1 petite courgette
grossièrement hachée
800 g de tomates pelées en boîte
1 pomme de terre
grossièrement hachée
375 ml d'eau
625 ml de bouillon de volaille
180 g de macaroni
100 g de haricots rouges en boîte
rincés et égouttés
80 g de chou chinois finement émincé
40 g d'épinards grossièrement hachés
3 branches de basilic frais
grossièrement ciselé
40 g de parmesan râpé

1 Faites chauffer l'huile dans une grande casserole et laissez fondre l'oignon et l'ail en remuant de temps en temps.

2 Ajoutez la courgette, la carotte et le céleri et faites cuire 5 minutes en remuant. Incorporez les tomates concassées sans les égoutter, la pomme de terre, l'eau et le bouillon et portez le tout à ébullition. Ajoutez les pâtes et laissez-les frémir 15 minutes à découvert jusqu'à ce que les pâtes et la pomme de terre soient juste tendres.

3 Ajoutez les haricots à la soupe et poursuivez la cuisson jusqu'à ce que le tout soit bien chaud. Incorporez le chou, les épinards et le basilic juste avant de servir. Servez ce minestrone agrémenté de parmesan.

Par portion lipides 7,5 g ; 348 kcal

ASTUCE Vous pouvez utiliser toutes sortes de pâtes : penne, conchiglie ou coudes de macaroni.

SUGGESTION Servez cette soupe avec du pain ciabatta ou tout autre pain croustillant et accompagnée d'une salade verte.

Soupe de pâtes et de légumes

Préparation 35 minutes
Pour 6 personnes.

1 c. s. d'huile d'olive
2 oignons bruns moyens
finement hachés
2 gousses d'ail pilées
4 branches de céleri finement hachées
2 carottes finement hachées
410 g de coulis de tomates
90 g de concentré de tomates
420 g de haricots rouges en boîte
rincés et égouttés
3 l de bouillon de volaille
500 g de penne
2 branches de persil plat
finement ciselées

1 Faites chauffer l'huile dans une grande casserole. Ajoutez les oignons, l'ail, le céleri et les carottes et laissez cuire en remuant jusqu'à ce que les oignons aient fondu.

2 Ajoutez le coulis et le concentré de tomates, les haricots, le bouillon et portez le tout à ébullition. Rajoutez les pâtes et laissez bouillir à découvert jusqu'à ce qu'elles soient cuites. Servez la soupe agrémentée de persil.

Par portion lipides 6,6 g ; 480 kcal

ASTUCE Les pâtes vont absorber le liquide si vous préparez cette soupe à l'avance. Prévoyez un peu plus de bouillon pour l'allonger au moment de la réchauffer.

Consommé de poulet et de nouilles chinoises

Préparation 20 minutes
Pour 4 personnes.

750 ml de bouillon de volaille
750 ml d'eau bouillante
10 g de gingembre frais râpé
2 gousses d'ail pilées
2 c. s. de sauce de soja
2 piments thaïs rouges frais
épépinés et finement émincés
4 blancs de poulet
450 g de nouilles hokkien
250 g d'asperges
coupées en quatre dans la longueur
4 oignons verts finement émincés

1 Mélangez le bouillon, l'eau, la sauce de soja, l'ail, le gingembre et les piments dans une casserole. Couvrez et portez à ébullition.

2 Ajoutez le poulet et laissez frémir 10 minutes. Quand le poulet est juste cuit, retirez-le du bouillon et réservez-le.

3 Ramenez le bouillon à ébullition et incorporez les nouilles, en les détachant à la fourchette. Ajoutez les asperges et laissez frémir, à découvert, jusqu'à ce qu'elles soient juste tendres.

4 Pendant ce temps, détaillez les blancs de poulet en tranches épaisses. Répartissez les nouilles, le bouillon aux légumes, les asperges et les blancs de poulet dans les bols. Parsemez d'oignon vert.

5 Servez avec de la sauce de soja et des piments à côté, si vous le souhaitez.

Par portion lipides 6,1 g ; 520 kcal

glossaire

anis étoilé fruit de la badiane en forme d'étoile. Ingrédient principal du mélange cinq-épices.

bacon poitrine de porc maigre fumée.

bambou (pousses de) la partie la plus tendre des jeunes plants de certaines variétés de bambous. Disponible en boîte.

basilic herbe aromatique dont il existe de nombreuses variétés. Le plus couramment utilisé est le basilic commun.
thaï : cette variété de basilic présente des feuilles plus petites que celles du basilic commun et un délicat arôme d'anis. On le trouve dans les épiceries asiatiques.

bok choy aussi appelé chou blanc chinois, comparable aux blettes. Ce légume a un goût frais, légèrement moutardé. Excellent sauté ou braisé. Les jeunes pousses sont plus tendres et plus fines.

bouillon I tablette (ou I cuillerée à café de bouillon en poudre) permet d'obtenir 250 ml de bouillon.

beurre utilisez du beurre doux ou salé, selon vos préférences.

cannelle écorce séchée des tiges du cannelier. Se présente sous forme de bâtons ou de poudre.

cardamome en gousses, en graines ou en poudre, elle a une saveur caractéristique très parfumée, poivrée et douce à la fois.

champignon
brun suisse : de couleur allant du marron clair au marron foncé. Goût léger.
Enoki : en touffes, avec de longues tiges et de petits chapeaux blanchâtres.
pleurote : gris blanc, au chapeau qui se déploie en éventail. Il a une texture moelleuse et une saveur rappelant les huîtres.
Shiitake : bien qu'il soit cultivé, il conserve toute la force et tout le parfum d'un champignon sauvage. Séché, il doit être réhydraté avant emploi.

ciboulette plante de la famille de l'oignon avec un goût subtil.
ciboulette chinoise : herbe à feuilles plates au goût très prononcé.

chou chinois également connu sous le nom de chou de Pékin. Ressemble à une romaine, mais son goût est plus proche du chou vert.

cinq-épices mélange parfumé de cannelle, de clous de girofle, d'anis étoilé, de poivre du Sichuan et de fenouil. En poudre.

citronnelle herbe longue, touffue, au goût et à l'odeur de citron. On hache l'extrémité blanche des tiges. Utilisée dans de nombreuses cuisines asiatiques ainsi qu'en tisane.

coco
crème : première pression de la chair mûre des noix. Disponible en boîte ou en berlingot.
lait : deuxième pression (moins calorique). Disponible en boîte ou en berlingot. On trouve aussi du lait de coco écrémé.

coriandre aussi appelée persil arabe ou chinois. On utilise les feuilles, les racines, ou les graines qui n'ont pas le même goût.

crème aigre crème obtenue par fermentation bactérienne de la crème fraîche.

cresson de la famille des crucifères, salades à la saveur poivrée et amère. Utilisé cru dans les salades, les sauces et les sandwiches ou cuit dans les soupes. Très périssable, utilisez-le aussitôt que possible après l'achat.

cumin petites graines allongées jaune pâle ou brun clair à la saveur âcre et aromatique que l'on utilise entières ou moulues.

curcuma épice de la famille du gingembre. Cette racine que l'on réduit en poudre confère une couleur jaune aux plats.

curry
feuilles, séchées : peu épicées. À utiliser à la façon des feuilles de laurier.
pâte de curry : préparation plus ou moins relevée à base de piment séché, cannelle, coriandre, cumin, fenouil, fenugrec, macis, cardamome et curcuma en proportions variées. Souvent jaune ou rouge, sa couleur varie selon la recette.
poudre de curry : préparation à base des mêmes épices moulues.

farine nous avons utilisé de la farine de blé sans levure pour les recettes, sauf mention contraire.
de maïs : utilisée généralement comme épaississant.

gingembre racine épaisse et noueuse d'une plante tropicale. On l'utilise entier ou moulu.

haricots rouges de texture farineuse et d'une saveur assez douce, leur teinte peut varier du rose au bordeaux.

kaffir feuilles aromatiques d'un petit citronnier, employées fraîches ou sèches à la façon des feuilles de laurier.

kumara patate douce de couleur orange vendue dans les magasins de produits exotiques.

moules doivent être bien fermées à l'achat. Brossez-les et retirez les barbes avant de les cuisiner. Jetez toutes celles qui ne se sont pas ouvertes à la cuisson.

nouilles
aux œufs, fraîches : à base de farine de blé et d'œufs.
de riz, fraîches : Larges, épaisses, presque blanches. À base de riz et d'huile végétale. Doivent être couvertes d'eau bouillante pour éliminer l'excès d'amidon et l'excédent de graisse. Utilisées dans les soupes ou sautés.
de riz, séchées : à base de farine de riz et d'eau. Il en existe de différentes largeurs, rondes ou plates. On doit les plonger dans l'eau bouillante pour les ramollir.
de soja : blanches, à base de farine de haricots mungo (soja). Elles n'ont pas besoin de bouillir. Il suffit de les faire tremper 10 à 15 minutes dans de l'eau chaude.
hokkien : nouilles fraîches à base de farine de blé, ressemblant à de gros spaghettis jaune brun.

nuoc-mâm aussi appelé nam pla ou sauce de poisson. Sauce à base de poisson fermenté salé réduit en poudre, généralement des anchois. Très odorante, elle a un goût très marqué. Il en existe de plus ou moins fortes.

oignons
brun ou jaune : oignon à chair piquante utilisé dans toutes sortes de plats.
rouge : aussi appelé oignon espagnol. Plus doux que les oignons blancs ou jaunes, il est délicieux cru en salades.
vert : oignon cueilli avant la formation du bulbe dont on mange la tige verte. À ne pas confondre avec l'échalote.

paprika condiment en poudre tiré d'une variété de piment cultivé en Hongrie. Peut être doux ou fort.

laksa (pâte) elle est composée de citronnelle, de piment, de galanga, de pâte de crevettes, d'oignon et de curcuma.

piment de toutes les tailles et de toutes les forces. Mettez des gants de caoutchouc quand vous les épépinez et les coupez car ils peuvent brûler la peau. En enlevant graines et membranes, vous les rendrez moins forts.
de la Jamaïque : baie brune de la taille d'un pois ou moulu. On l'utilise dans les plats sucrés et salés.
thaï rouge : petit piment frais allongé rouge ou vert, très fort.

pois gourmands ou haricots mange-tout. Se mangent entiers, crus ou cuits.

poivre du Sichuan poivre à petits grains brun rouge et au goût citronné.

porc chinois au barbecue encore appelé char siu, il est enrobé d'un mélange à base de sauce de soja, de cinq-épices, de xérès et de sauce hoisin. En vente dans les épiceries asiatiques.

saké boisson japonaise alcoolisée obtenue par fermentation du riz.

sambal oelek condiment fort d'origine indonésienne à base de piments broyés, de sel, de vinaigre et de diverses épices.

sauce d'huître sauce brune épaisse obtenue en faisant mijoter des huîtres dans de la sauce de soja avec du sel et de l'amidon.

tofu une pâte de soja disponible dans les épiceries asiatiques. On en distingue deux variétés : la pâte de soja japonaise ou tofu de soie japonais, très tendre, et le tofu chinois plus ferme. On peut conserver le tofu frais dans l'eau jusqu'à quatre jours au réfrigérateur.

tomate
concentré : à utiliser pour les soupes, les ragoûts et les sauces.
coulis de tomates : remplace les tomates fraîches pelées et mixées. En conserve ou en brique.

tortilla pain rond sans levain d'origine mexicaine. Il en existe de deux sortes : à base de farine de blé et de maïs.

wontons petits disques de pâte servant à préparer les raviolis chinois. On peut y substituer des feuilles pour rouleaux de printemps ou pâtés impériaux.

Traduction : Catherine Pierre
Mise en pages : Penez Édition
Édition : Natacha Kotchetkova
Relecture : Élisabeth Esteban

Marabout
43, quai de Grenelle - 75905 Paris Cedex 15

Publié pour la première fois en Australie en 2004
par ACP Publishing Pty Limited
sous le titre *Fast Soup*

Dépôt légal n° 48874 / août 2004
ISBN : 2501-04307-3
NUART : 4092615/01

Imprimé en Espagne par Mateu Cromo